W9-CRC-344

Catalogage avant publication de Bibliothèque et Archives nationales du Québec et Bibliothèque et Archives Canada

Bergeron, Alain M., 1957-

Les mini-fées du potager

(Le chat-ô en folie ; 25)
Pour enfants de 7 ans et plus.

ISBN 978-2-89591-243-9

I. Fil et Julie. II. Titre. III. Collection : Chat-ô en folie ; 25.

PS8553.E674M562 2015   jC843'.54   C2015-940425-8
PS9553.E674M562 2015

Correction et révision : Annie Pronovost

Tous droits réservés
Dépôts légaux : 4e trimestre 2015
Bibliothèque et Archives nationales du Québec
Bibliothèque et Archives Canada
ISBN : 978-2-89591-243-9

© 2015 Les éditions FouLire inc.
4339, rue des Bécassines
Québec (Québec) G1G 1V5
CANADA
Téléphone : 418 628-4029
Sans frais depuis l'Amérique du Nord : 1 877 628-4029
Télécopie : 418 628-4801
info@foulire.com

Les éditions FouLire reconnaissent l'aide financière du gouvernement du Canada par l'entremise du Fonds du livre du Canada pour leurs activités d'édition.

Elles remercient la Société de développement des entreprises culturelles du Québec (SODEC) pour son aide à l'édition et à la promotion.

Elles remercient également le Conseil des arts du Canada de l'aide accordée à leur programme de publication.

Gouvernement du Québec – Programme de crédit d'impôt pour l'édition de livres – gestion SODEC.

 Imprimé avec des encres végétales sur du papier dépourvu d'acide et de chlore et contenant 10 % de matières recyclées post-consommation.

IMPRIMÉ AU CANADA/PRINTED IN CANADA

Les mini-fées
du potager

Miniroman de Alain M. Bergeron – Fil et Julie

LE CHÄT-Ô EN FOLIE

Altesse a beaucoup de talents.

– C'est gentil, Coquin. Et je suis d'accord avec toi...

– Vous me laissez terminer mon mot, Altesse?

Je disais donc : Altesse a beaucoup de talents.

– Je te remercie, Coquin, ajoute la princesse.

Mais celui de cultiver son jardin n'en fait pas partie.

Moi, Coquin, le chat du château, je te raconte...

Chapitre 1

Altesse adore jardiner. Elle ne compte pas les heures et ne ménage pas ses efforts. La princesse ne met pas de gants blancs. Elle aime avoir de la terre noire sous ses ongles.

Il y a un seul problème : elle n'a pas le pouce vert. Elle a de la difficulté à cultiver des légumes. Pire : quand ils poussent, ils ne sont même pas de la bonne couleur !

Ses concombres sont roses. Sa laitue est bleue. Ses carottes sont vertes. Ses choux sont noirs. Ses épis de maïs sont multicolores. Ses patates ? Eh bien, elles font patate ! Côté jardin, c'est raté !

Altesse est découragée.

– Misère ! Où est mon erreur ?

Elle soupçonne des lutins de lui jouer un vilain tour. La nuit, ils viennent au jardin avec leurs crayons de bois et s'amusent à modifier les couleurs des légumes.

Messire Marie-Victorin, le grand jardinier, lui donne des conseils.

– C'est très simple, Altesse. Plus de soleil par ici. Plus d'ombre par là. La terre est trop sèche par ici. Le sol est trop humide par là...

Messire Marie-Victorin s'arrête devant le rang de brocolis. Il sourit de satisfaction.

– Aaaaah! Bravo! De beaux brocolis verts!

Il en prend une bouchée.

– Ah, ça! Ce sont les meilleurs brocolis de toute notre vallée, princesse!

Altesse ne tire aucun plaisir de ces compliments. Elle n'aime pas les brocolis! Elle préfère les fraises. Elle a déjà essayé de faire pousser des fraises, mais le résultat a été désastreux. Elle a obtenu des fraises jaunes qui goûtaient le citron!

Ce matin, Altesse vérifie l'état de son potager. Rien n'a changé. Les légumes ne sont toujours pas de la bonne couleur. La princesse secoue la tête.

– Ce jardin m'en fait voir de toutes les couleurs...

Boyau à la main, elle arrose son potager. Soudain, elle remarque qu'il y a moins de vert.

– Eh ! Où sont passés mes brocolis ? s'exclame-t-elle.

Elle s'avance dans la rangée des brocolis. Plusieurs plants ont été arrachés. Il ne lui en reste plus que quelques-uns.

– Qui a fait ça ? hurle-t-elle, rouge de colère.

C'est vrai : elle n'aime pas les brocolis. Mais pourquoi s'attaquer au SEUL légume qu'elle réussit à cultiver dans tout son jardin ?

Elle se penche pour chercher des traces d'animaux. Un rat ou une souris ? Le raton laveur qui vit derrière le puits ? Avec son masque de voleur, il ferait un bon suspect.

Altesse ne trouve rien. Elle va finir par croire à son histoire de lutins !

– Quel est donc ce mystère ? se demande-t-elle.

Elle appelle à la rescousse messire Marie-Victorin.

Avec une grosse loupe, il observe la terre. En quelques secondes, il en vient à une conclusion.

– Le voleur a des ailes...

– Un Schtroumpf volant? suggère Altesse.

Le grand jardinier sourit.

– J'opterais pour des corbeaux. Voulez-vous installer le portrait de la reine Barbelée pour les effrayer?

La princesse refuse avec une grimace.

– Je désire les éloigner, pas les traumatiser... Et puis, vous savez que nos corbeaux n'ont peur de rien. Il nous faudrait un piège.

Messire Marie-Victorin fait appeler l'inventeur, messire Bricole. Il lui explique sa mission.

– Ce sera fait aujourd'hui, promet l'inventeur.

Messire Bricole tient parole. Avant la tombée de la nuit, il installe un piège près des derniers brocolis.

– Dès que notre voleur s'approche du brocoli, le détecteur de mouvements se met en marche. Et là, la porte se referme sur lui, indique l'inventeur.

Altesse quitte le jardin. Elle est loin d'imaginer ce qu'elle découvrira le lendemain matin.

Chapitre 2

Qui a volé les brocolis qui poussent dans le jardin d'Altesse? Peut-être un voleur ailé ou un ange végétarien? Un piège a été installé pour le capturer.

Aux premières lueurs de l'aube, Altesse se lève. Elle ne prend pas le temps d'enfiler sa robe de princesse. Elle met sa robe... de chambre. Ensuite, elle descend au potager.

– Oooooh! fait-elle.

Le piège a fonctionné au cours de la nuit. Le voleur a été attrapé. Ce n'est pas un corbeau ! Altesse, étonnée, va regarder de plus près. L'insecte bizarre agite vivement ses ailes. Il émet un gros bourdonnement.

BZZZZZZZZZZZZZ...

– Une libellule ? dit-elle à voix haute.

– Eh ! Je ne suis pas une libellule ! s'écrie la petite chose avec des ailes.

Elle a raison, cette petite chose. Après tout, une libellule, ça vole, mais ça ne parle pas.

Le voleur, la voleuse, en fait, est une mini-fée ! Elle a une drôle de tête. On croirait qu'elle a du brocoli à la place des cheveux.

Avec délicatesse, la princesse la libère de sa prison.

La mini-fée s'envole pour se délier les ailes. Au bout de quelques secondes, elle atterrit sur le dessus de la cage.

– C'est donc toi, ma voleuse de brocolis, lui reproche Altesse sur un ton mécontent.

La mini-fée incline la tête.

– Je m'appelle la fée Brocoli. Excusez-moi de vous avoir volée, princesse. Je... je n'avais pas le choix...

– La fée Brocoli dans mes brocolis, sourit Altesse. Je serais
curieuse de rencontrer la fée
Betterave...

Cependant, la fée Brocoli ne
partage pas son amusement.
Elle lui apprend d'un air sombre :

– Vous ne pourriez pas rencontrer la fée Betterave, princesse.
Elle est retenue prisonnière...

Le sourire d'Altesse s'efface
aussitôt.

La fée Brocoli lui raconte que ses sœurs, les mini-fées du potager, ont été capturées par un méchant sorcier, Kresson. Il en garde plusieurs enfermées dans sa maison. Il oblige les autres à cueillir les plus beaux légumes du pays pour lui préparer des potages, jour après jour.

– Pourquoi? demande Altesse.

– Parce que le potage de Kresson goûte la soupe de bas mouillés! lance la mini-fée. Notre potage, celui des fées, est le meilleur du royaume. Le sorcier le vend à prix d'or.

Altesse est furieuse et dégoûtée à la fois. La fée Brocoli s'éloigne.

– Je dois partir, princesse. Il me faut encore plus de brocolis, sinon mes sœurs fées risquent d'être punies par Kresson.

Altesse réfléchit. Elle arrache les derniers plants de brocoli. Avec reconnaissance, la fée Brocoli tend les bras.

Surprise! La princesse ne les lui donne pas.

– Non, dit Altesse, déterminée. Je vais les lui porter moi-même, à ce Kresson de malheur.

D'un pas décidé, elle marche vers les écuries pour aller chercher son cheval, Blanchon.

Elle en ressort en vitesse, très gênée...

– Je n'irai pas là-bas en robe de chambre...

Chapitre 3

Guidée par la fée Brocoli, Altesse se rend dans la contrée de la Macédoine. C'est là que les mini-fées du potager sont prisonnières du sorcier Kresson. La princesse arrive à la frontière en début de soirée.

Son cheval Blanchon est à bout de souffle. Altesse le laisse donc se reposer dans un champ. Avec la fée Brocoli, elle continue à pied sur un sentier qui s'enfonce au cœur de la forêt.

La nuit tombe rapidement. Une nuée de lucioles les guide d'une faible lumière tout au long de la route.

– C'est ici, annonce la fée Brocoli, tremblante de peur.

Brrr... « Cette chaumière est sinistre et vieille », songe Altesse. Par contre, elle n'est pas déserte. De la fumée s'échappe de la cheminée.

Il est tard, et une seule pièce est éclairée.

– La cuisine, dit la fée Brocoli.

La princesse ferme les yeux et hume l'air.

– Ça sent si bon...

– Les fées cuisinent jour et nuit le potage de légumes pour le sorcier Kresson, lui rappelle Brocoli.

La mini-fée s'agite tout autour d'Altesse.

– Je dois y aller, insiste-t-elle.

En toute hâte, Altesse sort les plants de brocoli de son sac réutilisable.

– Je veille sur toi et tes sœurs, lui promet la princesse.

La mini-fée file vers la chaumière. Elle entre par une fenêtre ouverte. Des cris saluent son arrivée.

Des cris de joie:

– Brocoli, tu es de retour!

Des cris de colère :

– Brocoli, tu es en retard ! Tu as failli gâcher MON potage !

Le sorcier Kresson est fâché. Altesse s'approche avec discrétion de la fenêtre. La princesse s'assure de ne pas être vue. Elle jette un coup d'œil à l'intérieur de la chaumière. Ce qu'elle découvre la choque.

Plusieurs mini-fées sont regroupées à une table. Elles coupent des montagnes de légumes de toutes sortes. D'autres transportent les légumes hachés jusqu'à une grosse marmite, sur une cuisinière électrique. Toute cette activité produit un bourdonnement intense.

BZZZZZZ...

On se croirait dans une ruche d'abeilles!

Le plus troublant, c'est que les mini-fées ont chacune un cordon de lumière attaché autour de la taille. «Ce cordon est sûrement magique», pense Altesse. Il est relié à un gros anneau fixé dans un bloc de béton. Il leur est impossible de fuir. Et elles semblent épuisées.

Altesse aperçoit le sorcier Kresson, près de la marmite. Il est grand, maigre comme une échalote. Il a un curieux visage. Ses oreilles sont en chou-fleur. Son nez est aussi pointu qu'une carotte. Ses yeux, ronds et verts, font penser à des petits pois. Il a la figure rouge tomate.

L'homme remue le potage avec une large cuillère. Il est de mauvaise humeur.

– Dépêchez-vous!
gronde-t-il. J'ai besoin d'une nouvelle marmite avant demain matin. J'ai une longue route à faire pour vendre MON potage au village.

Il s'empare d'une baguette de bois accrochée à un mur.

– C'est l'heure de dormir… pour moi!

Il agite sa baguette vers les mini-fées.

– Tout doit être prêt, sinon…

La menace est claire. Le sorcier Kresson monte à l'étage pour se coucher dans l'unique chambre. C'est ce moment qu'Altesse choisit pour intervenir.

Chapitre 4

Altesse entre dans la chaumière. Elle veut sauver les mini-fées du potager, prisonnières du sorcier Kresson.

La porte grince quand la princesse la referme derrière elle.

CRIIIII...

À ce bruit, les mini-fées lèvent la tête.

– Je vais vous sortir d'ici, leur chuchote-t-elle.

Dans la cuisine, les mini-fées se retiennent de crier leur joie. Trop heureuses, elles voltigent autour d'Altesse pour la saluer.

BZZZZ...

Elles n'ont pas besoin de se présenter. Altesse reconnaît à leur tête la fée Betterave, la fée Carotte, la fée Échalote, la fée Céleri, la fée Tomate...

La princesse tire son épée de son fourreau. Elle essaie de trancher le cordon lumineux qui relie les mini-fées à l'anneau dans le bloc de béton. Mais c'est impossible : son arme ne rencontre que le vide.

– Qui vous a permis ? rugit le sorcier Kresson.

La princesse ne l'avait pas entendu sortir de sa chambre. L'homme dévale l'escalier. Les mini-fées poussent un cri d'horreur:

– Hiiiiii!

Le sorcier pointe sa baguette vers Altesse. Un éclair en jaillit et il atteint la princesse. Elle est incapable de bouger. Elle est paralysée.

Kresson est furieux contre Altesse.

– Vous comptez me priver des services de mes petites cuisinières?

De nouveau, il pointe sa baguette vers la princesse. Le sorcier prononce une formule avec des mots étranges. Soudain, Altesse se met à flotter dans les airs. Kresson la dirige vers une porte fermée près du foyer. Il l'ouvre.

– Vous allez faire un séjour dans mon garde-manger... Vous y serez bien au frais! ricane-t-il.

PLOTSCH!

– Qu'est-ce que...?

Le sorcier a reçu quelque chose au visage. Ça lui dégouline jusque dans la bouche.

Re-PLOTSCH!

– Pouah! se lamente-t-il.

Re-re-PLOTSCH!

Dans les yeux! Il ne voit plus rien.

Le sorcier est bombardé de partout. Les mini-fées lui lancent des légumes. Chaque fois, elles touchent la cible. En pleine poire!

Le sorcier en perd sa baguette magique... et son emprise sur Altesse.

La princesse retombe au sol, sur ses pieds. Elle peut de nouveau bouger. Elle court vers le sorcier et le pousse dans le garde-manger. Kresson reçoit une dernière betterave dans la figure.

– Yéééé! se réjouit la fée Betterave.

Altesse verrouille la porte. Elle s'empare de la baguette magique pour la casser en deux. Aussitôt, tous les cordons lumineux se brisent. Les mini-fées sont libres !

– Voilà ! dit la princesse, soulagée. Kresson est maintenant inoffensif.

Des coups ébranlent la porte du garde-manger.

Boum-Boum-Boum !

– Laissez-moi sortir ! Il fait frrrroid, ici !

– Pas tout de suite, dit Altesse.

L'estomac de la princesse gargouille bruyamment, ce qui fait rire les mini-fées.

Toutes ces aventures lui ont creusé l'appétit. La fée Brocoli soulève le couvercle de la marmite.

– C'est prêt, annonce-t-elle.

La fée Carotte invite Altesse à s'asseoir à la table. La fée Bette-rave lui verse du potage dans un bol. La princesse y goûte.

– C'est le meilleur potage de tout le royaume, déclare-t-elle.

– Je peux en avoir pour me réchauffer? demande le sorcier, dans le garde-manger.

– Nooon! lancent les mini-fées.

Et Altesse est d'accord avec elles.

Le sorcier Kresson a été arrêté.
Il est maintenant dans le donjon
du château.

Comme il aime la nourriture, on lui
permet parfois de travailler dans
les cuisines. Il prépare le potage
pour les autres prisonniers.

Ses talents culinaires ne sont pas
appréciés de tous. Il paraît que
son potage goûte la soupe de
bas mouillés.

Beurk!

Chat-lut!

FIN

www.chatoenfolie.ca

Les pensées de Coquin

Moi, le Coquin, je me glisse dans les illustrations. À toi de me trouver! Et si tu veux savoir chaque fois ce que je pense, va vite sur le site découvrir *Les pensées de Coquin*, tu vas bien t'amuser.

Les mots modernes

Alain, Fil et Julie ont mis dans le roman des mots et des objets inconnus à l'époque des châteaux. Pour les retrouver tous, viens t'amuser sur mon site Web en cliquant sur le jeu «Mots modernes». Il y a aussi plein d'autres activités rigolotes.

Chat-lut!

L^E CHÄT-Ô ^{EN} FOLIE

**Miniromans de
Alain M. Bergeron – Fil et Julie**

1. Le dragon du Royaume d'En-Bas
2. Le tournoi des princes charmants
3. L'âne magique du petit chevalier
4. La guerre des cadeaux
5. La reine des loups noirs
6. La forêt aux mille nains
7. Le prince sans rire
8. La fiancée de Barbe-Bleue
9. La coupe du hocquet glacé
10. Un imposteur sur le trône
11. Le bal des crapauds
12. Le fantôme de la tour
13. La galette des Rois
14. Flûte, des rats !
15. Le bandit des grands chemins
16. Le médecin des dragons
17. La chasse aux sorcières
18. Un ogre et des poucets
19. La robe magique de Barbelée
20. Ébène, la princesse de charbon
21. Le mystérieux Chevalier Noir

22. Il était une fois... Coquin
23. Le puits magique
24. La garderie des petits dragons
25. Les mini-fées du potager
26. Le portrait volé de Barbelée
27. Super Coquin
28. Prince Charrrrmant

Alain M. Bergeron a aussi écrit aux éditions FouLire :

- Rire aux étoiles - Série Virginie Vanelli
- Mes parents sont gentils mais... tellement malchanceux !
- Collection Mini Ketto - Ollie, le champion
- La Bande des Quatre

Achevé d'imprimer à Québec
octobre 2015